KB103733

태건 내려둠.

그냥

그대로,

두십시오.

그대로를 사랑하는 그대들에게.

.

.

안녕하세요. 태건입니다.
멋쩍은 인사를 건넵니다.

글을 쓰게 될 줄은 몰랐는데, 이렇게 시간이
던지는 계기를 통해 변화를 수용합니다.
덕분에 살아있음을 여러분 앞에서 반증하게끔
합니다.

가슴의 한 끄트머리에서 피워낸 꽃 하나를
여러분에게 선물합니다. 꽃병에 담아주셔도,
길가에 다시 심어주셔도 됩니다.

거창한 글보다는 일상과 사소함에서 오는 가치를
담고자 이 글을 씁니다.
부디 헤아려 주시길 머리 숙여 부탁드립니다.

한 번씩 떠오를 때, 또는 사고가 필요한 날에
책장을 열어주세요. 그렇다면 작가는 더할 나위
없는 기쁨을 느끼며 살아갈지도 모르겠네요.

인간은 신기합니다.
같은 것을 보고도 다른 생각을 하고, 다른 감정을
느낍니다.
때로 같은 것을 보고 동질감을 느끼는 사회적인
존재이기도 합니다.
그러한 공통점과 차이점의 공존을 떠올린다면
강물과 바닷물이 한데 어우러지는 상상을
해봅니다.

그럼에도 흘러가며 살아갑니다.
이 글을 신비하고 소중한 여러분께 바칩니다.

깊은 감사를 표합니다.

찾아가고 싶은 그대들에게.

개발의 한계

외할아버지와 함께
호주와 뉴질랜드를 한 달간 여행한 적이 있다.
가이드님께서 말씀하시길

"여기 사람들은 원래 있는 것은 그냥 둬요.
필요 이상의 개발을 병적으로 싫어합니다."

강조하시듯 말씀하셨던 탓일까,
뇌리에 더 강하게 박혔다.
과유불급이라 그랬다. 우리 삶에 자리 잡았던
필요 이상의 '파괴적인' 개발 공사는 어떠한가.

삶이 개발되었다고 한들,
아름다움의 기준과 가치는
여전히 그대로였으며

삶이 편해졌다고 한들,
삶이 아름다워졌는가.

각자가 지닌 속도

좋아하는 유튜버가 말했다.

"내가 빨리 가려고 해도 느릴 거예요…
지나가는 비행기와 지게차의 속도가 다르듯
각자의 속도가 있을 겁니다."

지나간 날들을 되돌아보았을 때,
남들의 눈치에 수없이 채찍질 당했던
내 소중한 일상에게 미안해졌다.

그렇다고 빨라지지 않았다.

분명 설명이
필요한 순간이 온다.

동경 여행 중,
좋아하는 전자기기를 쇼핑하기 위해
일본 최대규모의 전자상가에 들어갔다.

전자상가에서 흘러나오는,
광고용 노래를 유심히 듣고 있으면
가장 쉬운 단어와 어휘로
어떻게 찾아가는지 그리고 무엇을 판매하는지
가장 쉽게 설명하고 있었다.

마케팅으로는 성공적인 결실이 아닐 수 없다.

상업과 일상 심지어 사랑까지도
속절없이 무너지는 까닭은 설명의 부재와 이해의
결핍이 아니었을까.

설명이 부족했으니, 이해될 리가 없다.
대단한 것들이 필요했던 게 아니다.
그저
설명이 필요했던 것뿐이다.

절대적인 고요함에 대해서

A사의 제품을 애용한다.
(물론 S사의 제품도 애용한다. L사도 사랑한다.)
무선 이어폰이 필요해 하나 구매했다.

'노이즈 캔슬링'
주변이 고요해졌다.
"이걸로 음악 들으면 끝장나겠는데요?"
직원이 대답했다.
"주변의 소음이 가끔은 필요할 때도 있습니다.
항상 조심하며 사용해 주세요."

고요함은 우리를 차분하게 만들기도 하지만,
위기의 존재조차 묻어버린다.

믿음,
최소한의 크기는 얼만큼인가요?

테니스에는 신기한 문화(?)가 있다.
'셀프콜' 문화인데, 상대방의 실책을 양심껏
알려주는 것이다.

예를 들면 "아웃입니다.","폴트입니다."라고 말이다.
수긍하기 힘든 '셀프콜'이 있더라도
상대방을 믿을 수밖에 없다.

경기가 끝나고 집으로 돌아가는 중

발상의 물꼬가 트인다.
옆에 있는 파트너가 아닌, 마주 보는 경쟁자에
대한 최소한의 신뢰가 있는지.

적대적이 아닌, 사람 대 사람으로서
경쟁자에게 안녕했냐는 인사 정도는 할 수
있는지.

창에 비친 모습

지하철에 몸을 실을 때면,
출입문 유리에 비친 내 모습을 참 좋아한다.

가만히 비친 내 모습으로부터
미래의 내 모습이 궁금해진다.
10년 뒤에는 어떤 모습을 하고
지하철에 타고 있을까.

10년 전의 나는,
지금의 나를 상상이나 했을까.

나름의 간격이 있다.

살아가는 세상은 야경을 닮았다.
무심한 듯 각자의 불빛을 비추며 살고 있지만,
산 높이 올라서서 볼 때면 그것마저 조화였다.

세상이 아무리 개인주의니, 이기주의니 해도
불과 불 사이의 간격은 그리 먼 거리도 아니다.
사무실의 불빛도, 차의 전조등도, 거리의 가로등도

밝든 어둡든
남의 불을 꺼트린 적 없다.

가까이서 봐도 그리 차갑지는 않지 않았는가.

안전했던 창이
쇠창살이 되는 순간

휴대전화 업데이트를 진행하면서
'방해금지 모드'라는 것을 알게 되었다.

외부의 연락으로부터 일시적인 담을 칠 수 있는
기능. 오남용으로 인해 담 안에 스스로 가둔
경험을 되돌아보았다.

제주도 전통가옥의 낮은 돌담들,
허리춤까지 오는 높이의 그리 높지 않은 정도.

현대사회에서 담의 높이를 가늠한다면
어느 정도일까. 얼굴은 보일까.

어린 조카로부터
젊은 부모님을 찾다.

친척 형이 형수님과 영화를 보러 간 사이
나한테 맡겨진 조카 하나.

어릴 때 갖고 놀던, 지금은 보물과 애물단지
그 어디쯤 되는 레고 자동차 몇 개 꺼내주고
어린이 음료와 젤리 몇 개 먹는 모습 구경하다가.

화장실 가고 싶단 말에 둘러업고,
가는 와중에

우리 부모님도 날 이렇게 키웠을까.
이젠 함께 술잔을 기울여 주는 부모님도
그땐 어떻게 하셨을까.

모르겠다면 찍어야 한다.

인생에는 정답이 없다 그랬다.

정답이 없다는 말보다는
본인이 좋으면 정답-참 잘했어요.
본인이 싫으면 오답-다시(다른걸) 해보세요.
이게 맞지 않을까.

스도쿠 게임에서 얻은 깨달음이다.

가끔은 찍어야 할 때도 있다.
정답이 없는 게 아니라,
각자 받은 시험지가 다른 것이다.

모순의 이유

최근에 고가의 게임기를 샀다.
신발도 샀다. 이모티콘도 샀다.

100원의 비닐봉지는,
600원의 라이터는
왜 이렇게 주저하게 될까.

100원에 무슨 고민을 그렇게 하는지,
삶의 피로함을 떠나 더 이상의 생각조차
피로해졌던 이유는
일상 속의 경중과
정성의 수지 타산이 맞지 않아서.

평가와 자격

평가하고 평가받는 행위가 기본이 된 요즘.
평가받는 기분이 나쁜 이유는
결과가 본인의 기준에 부합하지
못해서가 아니라,

가슴에 비수를 꽂았던 사람이
평가의 권한을 지니지 않았던
까닭이 아니었을까.

나를 위기에서
끄집어 올려내는 것들

운전하며 신호를 기다리다 마주친,
견인 차량과 사연 있어 보이는 피견인 차 한 대.

내가 무기력했을 때 나를 끌고 가준
견인차 같은 기억은 무엇일까.

20대 전부를 갖다 바친 여행의 추억.
아름아름 모아 벼르던 게임기를 샀을 때의 기분.
가끔 보던 조카의 애교.

내가 부르면 곧장 달려올,
견인차 같은 기억이 있을까.

소중했던 기억은 공황과 좌절, 허망함과 같은
부정적인 감정의 '추돌사고'에 대비한 보험과
같다.

36.5

무더운 여름에 떠오르는 크리스마스 캐럴이 있다.
반대로 매서운 칼바람이 부는 겨울에 떠오르는
바캉스 노래가 있다.

그 '기억'이 그리워서가 아닌
그 '온도'가 그리워서.

오랜 시간 온도는 기억의 대체제였다.
인상 깊었던 날을 떠올릴 땐 그날 온도까지도
기억할 정도였으니까.

가장 좋았던 기억이 가장 좋아하는 온도와
포개어지는지. 줄곧 포개지 못할지라도, 둘 중
하나를 좇으며 살아야 함을 망각하지 말아야
한다.

아픔이 주는 이점

20대는 세계 여행에 '올인'하기로 결심했다.
이유는 간단하다. 크게 한 번 아파본 후,
'언제 죽을지 모른다.'라는 세상의 진리가 나를
세계 여행까지 이끌지 않았나 싶다.

수술대에 오르고 회복 기간은 우울했다.
여행은 고사하고 생활조차 버거웠다.
이런 적이 없었던 나에게는 많은 것을 보고
배우며, 느낄 수 있는 발판이었다.

아플 때 더 많은 게 보였다.

아플 때 더 많은 걸 느꼈다.

아파야만 배울 수 있는 것들이 존재했다.

숙이는 기술

상대방을 존경하기는 쉬워 보이는 듯 어렵다.
인정이 있어야 한다.
단순히 감정에서 비롯되는 것만으로는
인정과 존경이 완성되지 않는다.

본인의 부족한 점을 인정하는 것.
거리낌 없이 배움을 요청하는 것.
그에 따른 인정과 존경을 표하는 것.

부족함을 느끼는 것은 작은 일이었고,
타인을 존경하는 것은 큰일이었다.

인정과 감사 그리고 존경은 단순히 감정의 영역이
아니라 '기술'의 영역이다.

나 혼자 산다.

.

혼자 있는 것을 좋아한다.
대학에 가고 혼자 살게 되면서 혼자 노는 법을
터득하게 되었다.

혼자 여행하고,
혼자 술을 마시고,
혼자 일상생활을 영위해 나가는 것은

낭만적이면서도 외로운 행위에 가깝다.
혼자가 좋냐, 여럿이 좋냐 물으신다면
바다가 좋냐, 산이 좋냐 물어보는 것과 같다.
산은 산대로 좋고 바다는 바다 나름대로 좋다.

애당초 비교 대상이 아니다.
과연 혼자 있는 것이 본인을 도태시키는
행위일까. 아닐 것이다.

혼자였을 때,
깨달았던 인생의 교훈은
그 어떤 사람이 가르쳐 준 것보다
오래 기억되었다.

함께였을 때,
떠올랐던 무수한 생각들은
홀로 얼마나 고립된 생각에 빠져있었는지,
견줄 수 있는 비교 대상이 되어주었다.

혼자 있는 것은 좋지만,
도리어 본인에게
족쇄를 걸진 않았는지.

함께 있는 것도 좋지만,
누군가 날 비추는 거울을
가리고 있는 것은 아닌지.

반복할 수 있음은
위로할 수 있다는 것

알람 소리 딱 세 번까지 세고 일어난다.
(너무 피곤한 날은 들리지도 않을 것을 잘 안다.)
이부자리를 정리한다.
자기 전까지 눕지 않을 것이라는 무언의 확신.

창문을 연다. 꽃가루가 너무 많거나, 미세먼지가
심한 날은 다시 닫는다.
청소기를 돌린다.
아침의 이러한 준비는 집에 대한 신경을 끄는 데
유리하다.

샤워 후 좋아하는 향수를 골라 뿌린다.
좋아하는 향이 난다는 것은,
하루 종일 기분 좋은 일이다.

최대한 편한 옷으로 갈아입는다.
자고 일어난 옷은 세탁기에 양보한다.

좋아하는 시계를 골라서 찬다.
두세 개의 시계는 그날의 기분을
볼 수 있는 좁은 창문이다.
노트북, 핸드폰, 이어폰과 여분의 충전기를
가방에 가지런히 챙겨 넣으며 집을 나선다.

일종의 알고리즘인 셈.
운동선수의 루틴 같다고 할까.

스치듯 본 글귀가 떠오른다.
시위를 당기는 것은 놓기 위함이라는 말.

소중한 일상이라는 과녁에 명중,
또는 그 근처를 위해
얼마큼 정성스레 날을 갈고
시위를 당기고 있는지.

시작이 좋으면 끝맺음도 좋다는 말보다는,
끝맺음이 좋지 않았을 때
시작이 끝맺음을 안아준다.

화단에 피어난 네잎클로버

화단에 걸린 네잎클로버 인형 하나를 보았다.
하마터면 못 볼 뻔했다. 찾기 어려워서 못 본
것이 아니라,
화단을 집중해서 보며 걸어가 본 때가 언제인지
기억도 안 나기 때문이다.

그 자리에 주저앉아 한참을 보았다. 누군지
몰라도, 걸어둔 사람은 대단한 사람이 틀림없다.
네잎클로버를 진심으로
보고 싶어 하는 사람을 위해 걸어뒀을까.
행운이 필요한 사람의
눈에 쉽게 띄기 위함이었을까.
'당신이 찾기 어려워하는 것 같아서 눈에 띄기
쉽게 했어요!'라고 말하는 듯했다.

올려치기와 편 가르기, 온갖 혐오와 시기 질투가
가득한 탓에 행운은 고사하고 행복의 단위조차
'급상승'해 버린 요즘이다.
개중 소셜 미디어를 통한 보여주기식 싸구려
행복을 가장한 자랑은 '최악'이다.

그래서 그런 것일까.
인형을 걸어둔 이름 모를 사람에게 감사했다.

행복과 행운은 화단만큼 낮은 곳에 있을 것이다.

저 멀리 처마 위에 걸린 행복의 단위를
화단에 핀 꽃만큼 저만치 다시 내려두는 사람이
있다는 것은 여전히 행복은 낮은 곳에 존재함을
증명한다.

.

.

.

.

.

.

.

.

.

.

.

.

애초에 귀한 것들은 낮게 자리 잡고 있었다.
애써 올리려 발버둥 친 것은 사람이었다.

비극과 집착

인생은 가까이서 보라 했다.
그래야 더 예쁘고, 혹여
비극일지라도 잘 보인다고.

비극을 멀리서 보면 비참하기 그지없다.
용기 내어 가까이서 보면 속사정을 알게 된다.

비극이라는 사실에만 사로잡힌 채
속사정은 뒤로하고
뼈 없는 애도를 내던진 적은 없었나.
비극이 주는 두려움은 가까이 서는 방법을 백지화
시켜버렸다.

멀리서 봐주어야 하는 것 또한 있다.
집착의 대상이 그렇다.
필요한 것은 절대적인 거리가 아니라,
'적당히 멀리서 봐도 된다.'라는 마음가짐이다.
거리가 필요한 것이 아니라 마음가짐이 필요했다.

위와 같은 마음가짐은 믿음의 한 부분에서
파생되었다고 믿고 싶다.

굳건히 들러붙어 있었던 것들과 교감한다면 이런
말을 하지 않았을까.

"변할까 두려워 떨어지지 못한다면 괜찮다,
본질은 쉽사리 변하지 않으니 말이다."

나를 이끄는 동선

낯선 공항에서 길을 잃었다.
출국자의 동선과 입국자의 동선이 하나도
분리되지 않았다. 수화물 벨트가 멈추기 직전에
겨우 짐을 찾았다.

공항을 빠져나오며 동선의 중요성을 깨달았다.
인천공항에서 길을 잃지 않았던 가장 큰 이유는
표지판이 잘되어 있다는 사실뿐만 아니라,
불필요한 동선과 마주치지 않았기 때문
아니었을까 짐작해 본다.

삶을 탄력적으로 살아가기 위해서는
잘 가는 것보다 불필요한 것들을 피해 가는 것,
마주하더라도 동선을 유지하는 것이다.

꾸준히 걸어가는 삶에 동선 몇 개 그어본다.
대게 잘 그은 선 하나는 삶의 기둥이 되고 기조가
되었다.

정원에 피어난 꽃들의 이름

사람은 사랑하는 것들에 대한 명명을 반복했다.
사랑하는 것들은 이름이 있다.
이름이 있다는 것은
사랑한다는 것이다.

김춘수 시인의 <꽃>에서도 말했듯
누구나 마음에 꽃 하나쯤은 심고 산다.
.

.

궁금해지는 하루다.
내 마음의 정원에 물은 잘 주고 있었는지.
나는 누군가의 꽃밭에서 잘 자라왔는지.

어딘가 불편함

안전화를 신고 출근하는
아버지를 보고 여쭤보았다.
불편하지 않으시냐고.
안전은 '원래' 불편한 것이라 하셨다.

세상에 원래가 어딨나라는 심정으로 반문하고
싶었지만, '안전'이라는 단어 앞에서는 굳이
왈가왈부하고 싶지 않았다.

편하다는 명분으로 자신을 안전지대에서 몰아냈던
과거 에피소드 몇 개가 떠올랐다.
누구나 그런 경험이 있을 것이다.

스스로가 위험에 처했을 때, 생각해 봐야 한다.
편안함에 안주하고 있었던 것은 아닌지, 적당히
불편했는지, 불편함이 나를 잘 보호하고 있는지.

.

.

.

'불편함' 뒤에 숨어야 한다.
가장 안전이 보장된 휴식처다.

감정은 그 나름의 치수가 있다.

감정은 길이가 있다.
돌고 돌아서 나에게 찾아왔던 감정은
오래 걸려 온 만큼 오래 머물렀다.

감정은 나무 같은 속살이 있다.
비바람 견뎌온 시간을 증명하듯 나이테가 있다.
세월이 묻어있는 복잡한 감정은
번뜩 타오르다 꺼진, 얄팍한 감정보다

두터웠다.

부단히 소멸을 이겨내 왔던 감정을, 또한
지켜내기 위해 들이부었던 시간을 속일 수는
없다.

감정에는 제각각의 치수가 있다.
그릇에 맞추어 담아줄 필요가 있는 녀석이다.
담고 싶되, 담기지 않는 크기였다면 꾸역꾸역
눈물을 훔치면서 깨지고 붙이기를 반복하며
그릇을 늘려나갔다.

많은 감정을 담아내는 사람은
누구보다 눈물이 많은 사람이다.

말을 옮긴다는 것

대학 시절 전공 서적은
대부분 영어로 적힌 원서였지만,
종종 학생들의 편의를 고려해 번역서를
준비하라는 교수님의 강의가 있었다.

교수님께서는 번역의 오류를 자주 지적하셨다.

"번역이 아주 엉망이네! 여러분은 올바른
의미를 전달받아야 합니다!"

정확한 의미를 호소하는 듯 열불을 내시기도
했다.

.

.

.

.

.

.

무언가 옮기는 일은 숭고한 일이다.
유리그릇처럼 예민하다. 무언가 옮기려다 깨지고,
내용이 엎어진 문장들을 곱씹어 본다.
파편에 손을 다친 적도, 지나가다 밟아버린
제삼자도 있다.

어디선가 듣고 배운 소중한 것들을 조심조심
잘 옮겨가길 바라본다.

많은 숨을 거두며 살아갑니다.

학부 시절을 회상하면
방황했던 기억이 가장 또렷하다.

방황 중에서 가장 두려운 것은
의지와 열정의 상실이다.
빠르고 뜨겁게 흘러야 할 용암과 같은
열정이 식는다는 건

너무나 당연한 이야기였음에도
공허함과 허탈감이
꾸역꾸역 들어차는 기분이었다.

문제의 본질은 상실과 공허와 허탈도 아닌
식고 식어 차갑디 차가워져 버린 마음이
점점 굳어간다는 것.
즉, 생기를 잃었다는 것이다.
.

.

나름의 숨이 있다.
숨을 거둔다는 것은 여러모로 슬픈 일이다.
얼마나 많은 숨을 죽이고 살았는가.

'걸러듦'에 대한 문제는
시간이 해결한다.

글을 어떻게 쓰냐는 질문을 받는다.
단순하다.
멍하니 바라보고 슬며시 떠오를 때 쓴다.
사람에 따라 다르지만 내 글은 이렇게 탄생한다.

노력해도 안 되는 것이 아니라
시간이 필요한 것이다.

때로는 가만히 두는 것도 필요하다.
던져둔 낚싯대에 알아서 걸리게.

보이지 않습니다.
그래서 가치를 두고 살아갑니다.

볼 수 없기에 아름다운 것이 존재한다.
구태여 그것을 보려고 했을 때는 힘만
빠질뿐더러, 보이지도 않는 것들에 대한
감흥이 반감되기 시작했다.

보이지 않는 것은
애써 보려 힘쓰지 않아야 한다.

보이지 않아도 어루만져 주면서 살고,
보이지 않는 것에 대한 마음을 접으며 산다.
산다는 것은 보이지 않는 것을 잘 다루는 데 달려
있다고 해도 과언이 아니다.

만물이 100이라면,
실제 보이는 것은 얼마쯤 될까 궁금해진다.
보이지 않음에도 잘 다루어 가며 살고 있을까.

오래오래
머무르길 바람

SNS의 성행에 따라 다양한 영상이 등장했다.
최근, 숏폼(1분 이내의 영상)은 영상 플랫폼의
판도를 완전히 뒤집어 놓았다.

긴 것을 싫어하는 세대가 도래한 것일까.
글 읽기를 꺼리는 것은 물론이고,
오랜 시간 미디어에 집중하는 것이 어려워진 현상
을 보면 마음 어딘가에서 쓸쓸함이 고개를 든다.

짧은 시간에 많은 것을 담기란 어렵다.
삶도 그것을 닮아있다.

"문득 지나가는 길을 가다 보면 왜 이제야 눈에
들어왔을까 하는 것들이 기다리고 있기
마련입니다.
가령, 만날 지나가는 길목의 아파트의 색이
좋아하는 채색이었다던가, 길가에 피어난
좋아하는 꽃들, 짧은 여행이 아닌 긴 여행에서만
발견할 수 있는 현지인 바이브 같은 거요.

깨달음과 감명이라는 것은 '왜 이것을 이제
봤을까'가 아닌 '이것을 보기 위해 지금까지의
시간이 요구되었구나'에서 시작됩니다."

(독자와의 대화 中.)

나태주 시인의 <풀꽃>과 같이
예쁘고 사랑스러운 것들을 보기 위해서는
스스로 긴 시간을 투자해야 한다.

곳곳에 숨어있는
사랑스러움과 예쁨이
짧은 시간에 스쳐 지나가지 않길.

100을 이기는 것은 1

'100%'라는 말은 확신에 찬 말이면서도
허무한 말이다.

돌이켜 보면
우리 삶에 100%라는 단어는,
쉽사리 존재할 수 없는 단어이지 않았던가.

헤집고 들어갈 틈조차도 용납하지 않는,
완강한 형상을 떠올린다.

1%의 반전이 100%를 무너뜨리곤 했다.
'100'은 '1'보다 턱없이
작은 숫자일지도 모르겠다.
'100'을 이겨버리는 '1'의 괴력은 너무나
강력하다.

'1'도 한 번은 눈을 맞추고 볼 필요가 있다.
아무도 모른다.

속력을 줄이십시오.

시력이 좋지 않아 밤 운전을 꺼린다.
괜한 위험에 나 자신을 던져 넣기 싫은 게 가장
큰 이유다.

하루는 급한 일정을 끝내고
가로등 하나 없는 시골길을 내달리고 있었는데,
차선이 보이지 않았다.

얼른 집에 가고 싶었지만, 집중을 위해 음악
소리를 줄이고, 브레이크를 밟아 속도를 죽였다.
죽여야만 하는 상황이었으니까.

인간관계도 비슷하겠다는 깨달음이 몰려왔다.
'거리도 중요하겠지만 내가 상대방의 선을 보지
못할 땐, 소음을 줄이고 내 속도조차 죽여야
사고가 나지 않겠구나.'

나의 소리와 속도에 의해
누군가 치인다면
그것은 상처가 아니라

사고가 될 수도 있겠다고.

'무엇을' 보느냐만큼 중요한 것은
'어디서' 보느냐

아픔은 가까이서 봐야 한다.
이 역시 상대적이어서
타인의 아픔을 본인의 아픔에 비해
쉽게 결론짓게 되는 경향이 있다.

보이지는 않지만, 원근법에 알맞다.
가까이 있으면 뭐든 커 보인다.

당사자만큼 아픔 앞에 있는 사람이 있을까.
나의 아픔도 그들에게는 작아 보일 것이
분명하다. 내가 제일 앞에 있으니까.

.

.

.

.

위로와 공감은 내 것을 뒤로 미루어
남의 것을 앞에서 보는 행위다.
내 것이 작아 보이고 남의 것이 커 보일 때
시작된다.

타인에 대해 무지(無知)합니다.

모든 일에는 이면이 있다.
고로 고충은 분명히 존재한다.

타인의 고충을 이점에 빗대어 상쇄시키려고
해왔다. 내 일도 아닌 것에
서툰 위로로 그쳤을 수도 있겠지만
고충은 고충이고, 이점은 이점이다.

이점이 100개, 고충이 1개라고 한들,
당사자는 1개의 고충에 스트레스받지 않는다면
거짓말이다.

100개의 이점을 통해 1개의 고충을 상쇄시키는 것은 오로지 당사자의 몫이다.
상대방의 고충을 본인의 저울에 올리는 것만큼 경솔한 행동이 없다.

.

.

.

.

타인을 대신하여 고충을 상쇄시키기엔
그 크기를 가늠하는데, 극히 무지(無知)하다.

어떤 옷을 입고 있습니까.

친한 동생이 멋진 옷을 입고 나왔다.
평소, 패션의 ′ㅍ′에도 관심이 없는 사람인 나는
그렇게 입으면 뭐가 좋은지 질문했다.

″기분이 좋고, 옷에 맞는 행동을 하게 되지!″

조금 놀랐다. ′옷에 맞는 행동′이라는 단어가
귀에서 떠나질 않았다.

맞다. 행동은 마음가짐에서 나왔다.
좋은 마음가짐에서 좋은 행동이 나오는 것은

사실이다.

그래서 마음씨가 '멋지다'라는
표현도 나왔을 것이다.

우리 마음도 옷이 필요했던 게 아닐까.
마음이 상황에 걸맞은 행동을 잘 이끌어왔는가,
회고한다.

마음에도 옷이 필요하다.
내일 아침에는 마음에게 어떤 옷을 입혀줄지
고민하며 집으로 돌아갔다.

행복조차 짜게 변한
현대인의 식습관.

행복은 원래 밍밍한 것이다.
불행이나 쾌락은 상대적으로 자극적이다.
그래서 행복을 더 느끼기 어려울지도 모른다.

행복할 줄 안다는 것은
상황의 염도를 잘 조절한다는 것이 아닐까.
배경에 맞추어 때로는 조금 짜게, 또 다른 날은

싱겁게 말이다.

자극적이고 매운 것이 선호되는 현대의 경향에서
본인의 맛을 잘 찾아가길 바라본다.
입맛에 맞지 않는 음식 한두 번은 참을만했지만,
건강에 맞지 않는 맛은 끝내 병으로 이어진다.

조금 싱거워도 괜찮다.
주변이 너무 자극적이어서.

먼지는 빨리 쌓인다.

먼지를 치우다,
가슴에도 먼지 낀 구석 한편은
존재하지 않나 싶다.

높은 확률로 하나쯤은 있을 것이다.
자그마한 인간이 그 넓은 마음속 모두를
관리하기는 불가능에 가까울 테니.

집을 깨끗이 치우고 자동차를 세차하듯
마음도 청소가 필요하다.
먼지가 가득한 곳에서 올바른 것을 본다는 말은
어불성설이니까.

마음이 뿌예진다는 것은
깊은 가슴 속 잠든 것을 흔들어 깨웠을 때,
마주할 수 없다는 것을 예견하고 있을지도
모른다.
.
.
.
.

그대로 둔다는 것은
말 그대로 ′방치′가 아닌,
′유지′에 더 수렴하고 있다.

소리 없이 소멸하는 것에 대한 애도

자연스레 주변을 떠나가는 것들이 있기 마련이다.

어느 순간 빠져버린 귀걸이.
어느 순간 없어져 버린 열쇠고리.
어느 순간 사라져 버린 정든 라이터.

소중한 기억을 담은 것들이

떠나간다는 건 아쉬운 일이지만,
좋게 보내줘야 할 때도 있다는 것을 깨닫는다.

언제인지도 모르게 떠나갔다는 건,
마지막 인사가 서글플 것을 알기에
그럴 수도 있다.

소중한 기억이 떠나간다는 것은 슬프지만,
기억을 담은 물건의 수명이
딱 거기까지였다는 것이다.

.

.

.

.

추억이 담긴 물건도 고유의 수명이 있다.
소리 없이 떠나간 무언가를 소리 없이 애도해
본다. 덕분에 고마웠다.

반갑지 않은 위기를 보낸 후

갑작스레 몰려오는 위기감.
그다지 조용하지 않았던 탓에
느낄 수 있었던 것일까.

조금만 더 일찍이, 예고라도 해줬으면 하는
아쉬움도 동반한다.

내면에 지진이 일듯 흔들어 재낀다.
나를 안전한 곳으로 옮기는 게 최우선이다.

이따금 몰아치는 내면의 자연재해는
어떻게 할 수가 없다.

무너지면 무너지는 대로 일단 가만히 둔다.
다시 마음을 가다듬고 복구해도 늦지 않다.

급한 복구는 부실 공사의 시발점이다.
오히려 얼른 일으켜 세우겠다는 명목이 나를 더
부실하게 만들지는 않았을까.

사는 게 비슷한 이유

다들 그러고 산다 그랬다.
길을 잃어도 괜찮다.
그것도 길이다.

조금 방황해도 괜찮다.
던져둔 낚싯대는 접기 전까지 모른다.
잘못 탄 기차가 목적지까지 데려다줄 때도 있다.

나는 잘 못 탄 기차인지, 제대로 탄 기차인지
확인도 못 해보고 탔다.

당분간은 그냥 있어 보자.
다들 그러고 산다.

놓고 싶지만 내 손을
떠나지 않는 것

무작정 들고 있는 오기도 필요하다.
내 손에서 놓고 싶기는 분명하나,
놓고 난 뒤의 장면이 쉽사리 떠오르지 않는다면

그냥 들고 있어도 되지 않을까.
때가 되면 내가 놓고 싶지 않아도
떠나가게 돼 있다.

그래도 붙들고 있다면 못 놓았던 게 아니라
안 놓았던 것이다.
분명 그것도 언젠가 제 역할을 할 때가 온다.

당신은 선명하게 보고 있나요?

술에 취해 산책할 때면
안경을 벗고 거리를 거닐어 본다.

안경을 벗어야 보일 때가 있다.
매번 선명하게 보였던 거리는 흐릿하게 보이며,
눈에 들어오지도 않던 길바닥에 널브러진
전단지는 선명히 보인다.

우리의 선명도는 잘 조절하고 있는가, 톺아본다.

흐릿하게 보아도 될 것을
과하게 선명히 보고 있는가.
선명하게 보아도 아쉬울 것을 흐릿한 시야에
묻어두고 떠나버렸나.

병원과 법원에서

병원과 법원은 제 역할이 있겠지만,
사람의 추태를 가장 가까이서 볼 수 있는 곳이
아닌가 싶다.

본디 세상의 이치가 그러하다.
가까이서 보면 그렇듯이 모든 것이 그러하다.

상식적인 ′법도′라는 것은
가장 더러운 곳에서 나왔으며,
가장 아픈 곳에서 출발했다.

.

.

.

아파서 고쳐야 하고,
잘못해서 벌해야 하는 것이
비단, 상식에서 나온 것이 아니라
제각기 아픔과 추함에서 발했을 확률이 농후하다.

전봇대 보면서 했던 말

아버지가 그랬다,
살다 보면 억울할 때도 있는 거라고.
어머니가 그랬다,
그냥 무시하라고.

집 앞에 전봇대도 나와 같을까.
아무것 안 해도 불쑥 찾아오는
술에 취한 세상의 시비에,
듣기 싫어도 지나듯 꽂혀버리는 불만 가득한
세상의 푸념에

이제는 속내 깊은 이해도
따뜻한 위로도
더 이상 약이 되지 않는 이 밤에.

그러려니 할 때쯤,
부모님 말씀 들을 걸 그랬다.
살다 보면 억울할 때도 있는 거니까
그냥 무시하라고.

담뱃불 하나 가로등 하나
여름밤이 외롭다 못해 차갑다.

문을 열었더니 아직도 있었다.

열지 못하는 문을
누군가 강제로 열어, 어릴 적 꿈에 밀어 넣은
때를 회상한다. 고마우면서도 어안이 벙벙했다.

자리를 지킨 과거의 나와 대면한다.
잘 있었냐는 둥, 그래도 너는 거기에 있어 줘서
고맙다는 둥.
펼쳐진 야경에 인사치레 애써 서툰 감탄사를

내뱉곤 했다.

머리가 커버린, 수염이 자란,
먹고 살 궁리를 하는,
아저씨가 된 내가
이렇게 철없는 나를 만나도 되는 건지.

다시 문을 열고 나간다.

동일한 속도가 있다.

삶의 방식에는 '살아가는' 속도와 또 다른
'느끼는' 속도가 존재한다.
눈과 머리를 거쳐 심장을 지나치고
가슴속에 도달하는 속도쯤 될 것이다.

빠르게 질주하는 첨단 기술이
시간을 내달리는가 하면

오랜 감정을 주고받는 행위에 대한 속력은
더디다는 점에서 안도의 한숨을 내쉰다.

같은 장면을 보고 나누었던 감동과
같은 여행 장소에서 추억을 주고받는 대화,
묵혀왔던 소중한 표현이 오래 머무르는 이유는
유독 한 사람이 특출나서가 아닌,

서로 간의 느꼈던 본연의 감정이 같은 속도로
와닿았기 때문일 것이다.
.

.

그다지 빠르지 않다.
결코 빨라서도 안 된다.

보이고
가려지길
반복한다.

모든 것이 눈에 보이는 것은 아니다.
해가 나면 자취를 드리우는 게 있고,
해가 지고 달빛에 홀연히 보이는 것이 있다.

날이 밝아
모든 것이 보였던 것도 아니고,
달빛조차 어두워
한 치 앞이 보이지 않았던 것도 아니다.

영원히 보일 줄 알았던 주변도,
시간의 지남에 따라 자취를 감추고 드리우길
반복한다.
시간은 삶의 종속에 대해 보여주고 가려준다.

.

.

.

.

.

.

무엇이 안 보였는가.
무엇이 영원하리라 믿어 의심치 않았는가.

무엇을 보고 있는가.
무엇을 기다리고 있는가.

내면을 흔들어 재끼는 것

일상의 ′간소화′를 강행했음에도
편히 쉬었던 기억이 없었다.
좋아하는 작가님의 사인회를 다녀오고
집으로 돌아오는 기차 안에서

좋아하는 클래식을 들으며
찬찬히 책을 읽어나갔다.
가장 안온한 휴식이었으리라.

책날개에 쓰인 ′조용한 곳에서 씁니다.′라는
문장은 생각의 새싹이 빡! 하며 틔어 올라올 때,
조용한 순간에서 가장 선명도가 높다는 배경 아래
영감을 얻었다.
집으로 돌아가는 마저 남은 길에 찾아내 본다.

무엇이 내면의 창을 흔들어 시끄럽게 하였는지.
학창 시절 떠들던 친구의 이름을 적는 반장의
마음으로 말이다.

흔한 착각,
마냥 새것이라고 좋을 줄 알았다.

새로움이란 언제나 짜릿하다.
이전에 티비쇼에서 한 연예인이 차를 팔 때
굉장히 서운했지만, 그 서운함은 새 차가
달래준다고 말한 적 있다.
헌 차가 들으면 더 서운해할 말이다.

'새것'은 도발적인 단어다.
시간이 흐르고 기술이 발전됨에 따라
새것이 헌것이 되는 것은 자연스러운 이치에

지나지 않는다.

기존에 자리를 지키고 있었던 것들에는
많은 것들이 담겨있다.
때론 담겨있는 기억 내지는 추억 탓에
이미 수명을 다했음에도 불구하고, 손으로부터
쉽사리 떠나보내지 못하는 경우가 허다하다.

기존 것들이 질려버리기에
새것으로 바꾼 적도 있다.
수많은 시행착오를 통해 깨달은 점이라면
새것이라는 사실도 중요하지만,
기존 것이 제 기능을 하느냐는 더욱 중요한
문제이다.

온전한 기능을 갖추고 있음에도
노상 새것에 초점을 두고 살아왔음을 인정한다.

앞서 연예인이 말했던 서운함은 새것에 의해

완벽히 물러서지 않는다.

.

.

.

.

.

시간은 고귀한 가치를 변색시킨다.
몸값이 올라버린 가치를 아무나 알아볼 수 없도
록, 한 번 더 탈바꿈하여 사람을 가려내는 행위처
럼 보인다.
변색 됐을 뿐, 기능을 상실했던 것도 가치가 유실
됐던 것도 아니다.

새 책들 속에 쌓인
모서리가 닳아버리고, 책등이 누렇게 변한 오래된
책의 한 귀퉁이를 만져본다.

사람은 일조차 닮아간다.

집필에 박차를 가할 때 일이었다.
다른 날과 다름없이 일상복(슬리퍼, 운동복 바지,
후줄근한 티셔츠)을 뽐내며
덥수룩한 수염, 약간의 눈그늘과 함께 길을 걷고
있었다.

평소 친한 교수님을 만나 허리 숙여 인사를 했다.

"안녕하세요, 교수님. 잘 지내셨죠?"
"태건이, 문학 작가 같네?"
"네? 평소와 다름없이 나왔는걸요."
"평시 행동은 몸 안에서 녹아 나온단다. 글감이
주변에 있니? 항상 고개를 두리번거리면서
걷잖니! 하하"

교수님과의 대화 후, 집으로 오는 길
귀 안에서만 들려오는 오케스트라 극장 문을 잠시
닫았다.
그러고는 아무 벤치에나 누워 침묵한다.

과연 행동이 나에게 베이는 걸까.
또는 행동이 나를 투영하는 것일까.
그것을 차츰 닮아가는 것은 아닐까.

좋아하면 따라 하고, 사랑하면 닮아간다.

일도 똑같다.

사랑하되, 어떤 것을 닮지 않아야 하는지도

중요하다고 느낀 하루다.

감각,
손끝이 아닌 가슴 끝

운전면허증을 따기 직전, 어머니께 운전은 어떻게
하냐고 질문했다.
차의 폭, 길이에 대해서 운전 면허 학원에서는
공식이라고 했지만
어머니는 조금 다른 답을 내주셨다.

"하다 보면 감(感)이 생기기 마련이지!"

철저히 감각의 영역인 것이 존재한다.

오로지 감각에 의지해야 하는 경우를 마주할 때,
어머니의 말씀이 수면 위로 떠오른다.

감각이라는 놈은 어떤 놈일까. 우리의 경험에서
몸으로 체득되는 인간판 빅데이터가 아닐까.

감각은 인간의 객관화된 자료에 묻혀버리곤 한다.
자료는 설명을 가능케 할지언정, 가슴에 흔적을
남기고 가진 않는다.

어느 날, 필요로 했던 것은 저 깊숙한 곳
끝자락에 홀연히 자리를 지켰던 흔적이
아니었을까.

감각은 사람의
머리를 거쳐 몸으로 나온 것이 아닌,
가슴을 거쳐 몸으로 나온 것이다.

보이지 않을 때,
가슴으로 보라는 말을 되삼킨다.

구부러지지 않는 것을
'못 본 척'하다.

가슴속에 구부러질 수 없는 잣대 하나쯤은 있다.
하기야… 그게 구부러지면 잣대인가.

"그 사람은 정말이지 이해가 안 돼!"
"내 말 맞지? 내 혐오와 편견은 오차가
작다니까!"

부끄럽지만 내 머릿속에서 머무르지 못하고
밖으로 터져 나온 문장이다.

누군가를 싫어하기도 해보았고, 내 잣대는 보편과
상식이라 치부하며 남을 잣대질했던 적이 있다.
당시 내가 맞았다고 해도 모든 이들이 나처럼
쉬이 지적하지는 않았다.
그냥 '못 본 척'이 필요했던 순간들이었다.

내 잣대를 모든 이에게 들이대는 건 폭력이다.
누구나 자신의 보편과 신념에 기반한 잣대
하나쯤은 있을 텐데, 그 잣대를 함부로 들이밀진
않는다.

그들도 나에게 잣대를 들이밀 순 있었겠지만
그러지 않았다. 여럿 불편했던 순간에 본인의
잣대를 '못 본 척'했을 것이다.

.

.

.

.

.

설령 잣대에 분명한 틀림이 있어도,
그 잣대를 우지끈 꺾는 이들의 반열에 오를
필요가 없다.

언어를 심다.

.

.

.

.

.

.

.

선배와 글에 대한 소견을 나누며,
술에 얼큰하게 취할 때쯤.

"행님, 글이 진짜 예민합니다…. 글 뒤에 감출 수
있는 게 존재하기나 할까요."
"없지, 인마…."

적당히 비틀거리며 집에 들어오는 길.
'언어'라는 단어를 머릿속에 심었다.

언어를 입으로 쓰면 '말'이 되고,
언어를 손으로 쓰면 '글'이 된다.

세상에 영원한 비밀이 없는 이유도, 컨디션이 안
좋은 날은 유독 글이 안 써지는 이유도
'언어'라는 것이 아무것도 감추지 못하는 까닭일
터다.

질문의 답변이
해답일 필요는 없다.

무수한 질문을 받으며 살아간다.
개중에는 허를 찌르는 질문이 있는가 하면
질문의 의도조차 가늠이 안 되는 질문이 있다.

질문의 의도는 ′궁금함′에서 출발한다.
궁금하다는 말은 이해가 부족했거나,
다른 답변이 요구되는 순간일 수도 있겠다.

나에게 질문이라는 단어를 머리에서 그려보라면
손에 애틋한 무언가를 쥐고서는 놓지 않는 행위가
그려진다.

.

.

.

.

.

.

구태여 떠나간 것들에는 질문과 답변이 필요하다.
대상에 관한 질문이 아닌, 나에 관한 질문이
필요하다.

답변은 답변일 뿐, 해답이 되지 않는다는 점을
잊어서는 안 된다.

두고 온 옷가지들

외사촌 집에 가서
하룻밤, 이틀 밤씩 신세 진 적이 많다.
한 해에 명절을 제외하고
평균 두 달 내지는 석 달에 한 번.
잦으면 한 달에 한두 번씩 갔으니 죄송하며
감사하다.
그래도 외사촌 집은 참 편하고 좋다.

어느 순간 옷을 두고 다니기 시작했다.
자주 가니 그게 더 편했을지도 모르겠다.
옷은 외숙모의 손을 거쳐 구석에 잘 개어져
있었다.

혹자는 ´삶은 스쳐 지나감의 연속´이라 말했다.
스쳐 지나가는 장소에도 무언가 두고 오고 싶은
것이 있기 마련이다.

서울 남산에만 가도 자물쇠를 걸어두고 오며,
허심탄회한 곳에 가면 아쉬움과 걱정, 미련
거리들을 던져두고 온다.
때로 낙서하며 그곳에 기록을 적어두고 오기도
한다.

두고 온다는 건, 장소에 대한 감정의 연장선이다.
꽤 많은 것을 표현하지 못해, 다음을 약속하며
하나쯤 두고 오고 싶은 것이 있다.

젖었다면
그대로 걸어가는 수밖에

지인들만 알고 있는 독특한 습관이 하나 있는데
특별한 경우를 제외하고는 우산을 잘 쓰지
않는다는 점이다.

비 맞는 것을 좋아하는 것이 아니라,
굳이 써야 할 이유를 못 느꼈다고 해야 하나.
옷에 비를 적셔가며 집으로 돌아오는 도중

젖고 마르기를 반복하는 것이 ´삶´이었다는 것을
그제야 깨달았다.

비뿐만이 아니라, 영문도 모르는 이가 물 한
바가지를 끼얹을 때도 있다.
당시 피할 수 없으니 맞는 것뿐이다.
.

.

.

.

무엇에 흠뻑 젖어가는가.
어차피 마를 것을 알고 있다.

비를 피하면 되지 않냐는 질문을 받을 때면
이런 답변을 내곤 한다.

"언제 비가 오며 그것이 그친다는 예보도 없죠,
예보가 있다면 그날은 집에 박혀 있을 겁니다."

사라진다는 것은
아마 세상의 균형을 맞추기 위하여

작가들에게 글을 수정한다는 것은
'밥 먹는다.'의 행위와 같을 것이다.
제각기 다른 수정 방법이 있겠지만,
나는 글을 많이 지운다.

다른 문장으로 대체하거나,
정든 문장에 작별을 고할 때도 있다.

과하게 무거운 문장은 작가에겐 부담을,
독자에겐 거부감을 주기에 문장이 가벼워야
전달력에 힘이 실리지 않나 싶다.

'채워 넣음'이라는 행위보다 '지워 버림'의 행위가
더 어렵고 복잡하다.
아름다움을 표하는 것도 글쓰기의 기술이겠다마는
지워내는 것 또한 기술이겠다. '존재의 미'보다는
'여백의 미'에 초점을 둔다.

복잡한 마음에 무거운 문장이 힘을 가할 때면
허용 중량을 초과한 트럭이 내리막길에서
속수무책 내려가는 장면을 연상케 한다.

하염없이 그득그득 채워 넣기는 쉽다.

다만, 비워내는 것은 균형을 맞추는 행위다.

.

.

.

´플러스(plus)´와 ´마이너스(minus)´ 그리고
´이퀄(equal)´이 상생하는 이 바닥에서
´마이너스(minus)´를 제외하고 불균형을 논할 때가
더러 있다.

일단
멈추지 마세요.

서울로 가는 금요일의 경부선은 대부분 만석이다.
자리를 구하기 어려워 입석을 택했다.
운이 좋았을까 열차의 출입구에 있는 간이석에
앉을 수 있었다.

다른 자리에서 다른 것이
보이는 것은 사고의 순리다.
플랫폼에 박혀 있던 객차의 '번호판' 말이다.

바닥에 '17호차'라고 떡하니 큼지막한 번호판이
박혀 있었다.
열차가 역에 다다르자, 기관사는 열차의 출입문을
번호판 가운데 절묘하게 멈춰 세웠다.

'멈춘다'의 의미를 다시 더듬는다.
움직이거나 작동하는 무언가의 동작을 끊어냄을
의미한다. 기계는 멈춘다고 했고, 사람은
쉬어간다고 했다.

덧없이 빠른 속도로 내달리던 중, 저항을 가하여
본래 지녔던 속도를 줄이는 것도
나름의 '계산'이 필요하다. 세상에 쉬운 게 없다.

어디에서 멈추는가.
어떻게 멈추느냐도 중요하지만,
어디에서 멈추느냐도 중요하다.

불가피한 부담이 후행(後行)하고 있다면 오만가지
걱정이 머릿속을 헤집어 버린다.
'여기서 멈추면 앞으로는 어떡하지?'
'여기서 멈추면 뒷감당 되려나…?'

제아무리 강심장이라도 두렵기는 마찬가지다.
되려 뒤에서 갖다 박아버렸다간, 멈추는 게
아니라 영영 다시 출발을 못할 수도 있다.
안전한 위치에 정확히 세울 필요가 있다.

본인도 모르는 값진 것들이 애타게 기다리고
있을지도 모른다.
급하다는 탓에 그들을 싣지 못한다는 것은
안타까운 일이다.

멈춘다는 의미에는 '정확'이 요구된다.

천천히 역에 진입하며, 출입문과 객차의 번호판에
정확히 일치시키는 것처럼 말이다.
그래야 내릴 것들을 내려놓고 새로운 것들을 실어
다시 출발할 수 있다.

글을 쓰는 나조차 '멈춤'의 이상적인 조건에
마음이 영 편치 않다.

술 취한 사람도
다시 보자.

취하고 싶은 순간이 있다.
친한 동생과 술잔을 기울이다, 술이 동생을 삼켜
버렸다. 우스갯소리로 대참사라 표현했지만, 분명
이 순간이 필요던 걸까.

털어내 버리고 싶은
억하심정 따위인 것들이 있다.

단지 털어내고자 하는 것들에 대한 적합한 상대가
마땅히 없다.
대단하게 풀자니 자신이 그리 대단한 건 아니고,
애먼 곳에 화 풀어 버리자니 미친놈 같고,
찾아보니 술만큼 만만한 놈이 없다.

오랜 시간 묵혀둔 화를 과음에 풀어 버릴
정도라면 분명 아무한테도 말 못 할, 나름의
고통을 감내하고 있을 것이다. 사람이니까 말이다.

'상식선'에서 '정말 가까운' 사람을 피곤하게 할
만큼의 주사는 '나, 이만큼 힘들었으니 봐달라.'
라는 애처로운 몸부림일지도 모른다.

은연중 간접적으로 보고자 하는 사람의 속내는
쉽사리 느껴지지 않는다.

그러나 한 번 알아차리기 시작하면 속 깊은
골까지 단박에 느껴진다. 도미노처럼 밀려온다.

다음날 늦은 아침
깨질 듯한 두통에 과거를 후회할지라도,
"원래 고통은 다른 고통으로 잊는다."라는
적당히 실없는 말을 해줘야겠다.

가장 두려운 존재에게도
선물해야 한다.

클래식 중, 카프리스의 원작자인 니콜로 파가니니
(Niccolo Paganini)의 총평은 이렇다.
'악마에게 영혼을 판 바이올리니스트'

창작자 아니, 창작자이지 않은 이들도
적어도 한 번쯤은 악마에게 영혼을 팔아버리고
싶은 순간이 있지 않을까.
대가 없는 보상은 없다.

인생은 가성비로 굴러가지 않는다는 사실에
눈떴을 때, 본인이 미쳐있는 한 곳만큼은 영혼을
팔 법하다는 결론에 이르렀다.

결실에는 가격표가 없다.
그래서 누구나 같은 노력을 지불하지 않는다.
가장 비싸게 살 필요도 있다.
간혹 악마에게조차 팔 필요도 있다.

.

.

.

.

.

누가 뭐래도 오로지 나에게만 값지고 귀하며
소중한 것들이 나를 살게끔 한다.
가장 극악무도한 자들에게 바쳤던 것들이
나를 살렸다.

통제하지 않으면
통제받을 것입니다.

감정이 고단하게 느껴지는 이유에 대해
곰곰이 생각해 보았다.
모두가 그런 날이 있듯, 기분이 아주 좋지 않은
탓에 일에 집중이 되지 않았다.

'일에는 내 감정을 투입하지 말자.'라는
소신에 쩍 하고 금이 가는 순간이었다.
어쩔 수 없이 손을 놓았다.

놓고 싶어서 놓은 것이 아니라,
감정이 녹아든 업무에
좋은 결과가 따라올 리 만무하다.

동시에 긍정과 부정의 감정은 이중성이 뚜렷하다.
부정의 감정은 물론이고, 긍정의 감정조차 사람을
어지럽게 만든다.

때와 장소를 가려야 한다.
다만 감정 하나를 떨어트리고자
귀중한 하루를 마비시킨다면,
그것조차 휘둘림의 연속이다.

그럴 땐 철저하게 무시하려고
애쓰는 것이 최선이다.

그런 날이면 이름 모를 고단함으로부터
나를 짓누르는 힘을 유독 강하게 느낀다.

공과 사의 구분.
본연의 이성만을 요구하는 순간에 감정은
흔쾌히 이탈되지 않는다.
그 순간, 감정의 노예를 자처하게 된다.

불어를 가르쳐 주신 교수님께서는 강의 시간이
끝날 무렵 격언을 하나씩 말씀해 주셨다.

감정이라는 녀석이 출입이 금지된
'통제구역' 안으로 슬금슬금 기어들어 오거나,

이미 '통제구역'의 문을 부수고 들어와 속된 말로
"배 째라. 안 나가련다."라고 말하는 순간
교수님께서 말씀해 주신 격언을 되새긴다.

.

.

.

.

"통제하지 않으면 통제받을 것입니다."
본인이라는 왕이 감정이라는 백성에게 잡아먹히는
것만큼 우스꽝스러운 일도 없으니까.

강력한 관통

여운을 남겼던 것들에 관해 서술해 보라면,
빠른 속도로 나를 관통하고 갔다고 표현한다.

무언가는 혹은 누군가는
'마음에 듦' 그 이상을 훌쩍 뛰어넘어
마음을 빠르고 강력하게 관통하며 지나간다.

살아감은 관통하고 지나간
흔적과 향기를 기억하고자,
제각각의 방법을 동원하는 일련의 과정이다.

관통하고 갔던 존재를 회상하며,
무엇이 마음에 흔적을 남기고 갔는가.
누가 마음에 향기를 두고 갔는가.

흔적과 향기는 시간에 휘발된다.
더군다나 붙잡을 수 없기에,
어떤 행위나 방식으로 기억하는가.

피폐함의 원인

인천에 방문했을 때의 일이다.
아이들이 학원 차량에서 내리는 장면을 보았고,
난 길을 잃었다.

똑같이 생긴 아파트.
똑같은 간판의 편의점.
똑같은 프랜차이즈 커피점.

대한민국은 관광지가 아닌 이상

다 비슷비슷하게 생긴 것 같다.

아니, 그렇게 만드는 걸 선호하며
그렇게 해왔다.

누구의 호불호도 허용하지 않으며,
적당히 고급스러워야 하며,
적당히 질리지 않아야 한다.
정말 까다로운 조건이다.

창문 밖의 풍경이
가장 가까운 예시가 아닐까, 짐작한다.

개성이 두드러지는 것을
두려워하는 시대가 찾아왔다.
진로 또한 남 눈치를 보며,
타인이 세워둔 기준에 초점을 맞춘다.

각자의 리듬마저 불특정 다수들과
동화되어야 한다는 강박증까지 보이는 듯하다.

나를 남에게 맞추며
남을 나에게 맞추려는 현상이,
위에서 떨어지고 아래에서 올라가
하나가 되는 열평형 그래프를 보는 듯하다.
.

.

.

.

오랜 시간 이어진 획일화의 모습을 보면
피폐함의 원인, 삭막함을 가속하는 주범은
단순히 '획일화'였다.
한 가지의 선만 존재할 수 없다.

다시

'살다가 우리 이렇게 잠시 또 마주 걸터앉겠지.'
지나쳐 가는 인연의 뒷모습을 보고 혼잣말로 작게
속삭이듯 말한다.

돌고 돌아 만난다.
정말 끝이라고 다짐했던 사람도
이젠 볼일 없을 줄 알았던 책조차도,
다시 앞에 나타나
"잘 지냈니?"라고 물어볼 시각이 온다.

떠나는 것들에는 고유의 아쉬움이 있다.

좋든 밉든 싫든 사랑하든
아쉬움은 저 깊은 곳에 숨어있다.
떠날 때쯤 되면 누가 불러주기라도 한 듯 나타나,
존재를 단단히 각인시키고 간다.

아쉬움은 이내 풍화작용을 거쳐
소리소문없이 사라진다.
그러곤 어디선가 조용히 몸집을 키운다.
.

.

.

.

몸집이 커진 아쉬움이
결국 마주 걸터앉게끔 해주겠지.

지금까지 머물러 있는 그대들에게.

.

.

안녕하세요. 태건입니다.
아쉬운 작별 인사를 고합니다.

계절과 마음의 시간이 발맞추어 가고 있나요. 나
홀로 두꺼운 옷을 입으며, 성큼 다가오는 여름을
맞이한다면 그건 외로운 일이니까요.

집필을 마칠 때쯤, 봄도 막을 내리고 여름이라는
새로운 장의 시작을 알립니다.
계절이 변해도 일상과 사소함에서 굳건히 자리를
지키고 있는 가치에 다시 한번 박수를 보냅니다.

당신의 꽃은 어디쯤 있을까요.
정원에 잘 있던가요? 집안의 화병에 꽂아
두었나요.
제 글이 당신의 꽃봉오리를 열었을지,

미치지 못했을지 궁금해지는 마무리입니다.

물가에 몸을 힘껏 내던집니다.
시간이라는 강물과 활자라는 바닷물이
한데 어우러져 만든 거친 물살 위에 온전히 몸을
맡기고 작가와 떠내려갑니다.
거칠지만 그다지 위험하지 않은 물살에 몸을 띄워
당신만의 휴식처가 되었길 바랍니다.

물리적인 장소가 아닌
추상적인 공간에서 서로를 독대합니다.
당신의 얼굴도 궁금하며 이보다
글에 대한 당신의 견해는 가일층 궁금합니다.
궁금증은 언제나 우리를 이어 왔습니다.

언제나 이어져 있습니다.

편안히 가십시오.

그냥 그대로, 두십시오.

발 행 | 2024년 5월 30일
저 자 | 이태건
펴낸이 | 한건희
펴낸곳 | 주식회사 부크크
출판사등록 | 2014.07.15.(제2014-16호)
주 소 | 서울특별시 금천구 가산디지털1로 119 SK트윈타워 A동 305호
전 화 | 1670-8316
이메일 | info@bookk.co.kr
ISBN | 979-11-410-8744-9
www.bookk.co.kr